文史哲詩叢之4

心靈上的陽光

藍善仁著

文史哲出版社印行

國立中央圖書館出版品預行編目資料

心靈上的陽光 / 藍善仁著. -- 初版. -- 臺北市 : 文史哲, 民81
面 ; 公分. -- (文史哲詩叢 ; 4)
ISBN 957-547-116-4(平裝)

851.481

文史哲詩叢 ④

心靈上的陽光

著者：藍善仁
出版者：文史哲出版社
登記證字號：行政院新聞局局版臺業字五三三七號
發行人：彭正雄
發行所：文史哲出版社
印刷者：文史哲出版社
台北市羅斯福路一段七十二巷四號
郵撥〇五一二八八一二彭正雄帳戶
電話：三五一一〇二八

實價新台幣二〇〇元

中華民國八十一年三月初版

ISBN 957-547-116-4

我的詩路歷程代序

藍善仁

我寫詩，是因爲我愛好詩。

自從小學畢業以後，因爲家鄉還沒有中學，要讀中學，就要到離家三百多里的贛州去。當時年紀小，父母不放心我遠走他鄉。便進入一所私塾，讀了一年古書。私塾先生教我們讀四本書，即論語、古文、幼學和唐詩。我最喜歡唐詩。先生教學極嚴，規定講過的書，一律要背誦，而且每周要寫一文一詩，限時交卷，作品經批閱後要家長簽章驗收。家父平生亦極好詩。日常唱酬詩篇很多，每有新作，必令我閱讀唱吟。對詩篇押韻平仄對仗等等，予我頗多糾正指引，如斯歷練經年，學詩門路初開，詩興亦油然而起。後來進入中學，適同學中，愛好詩的人很多，彼此切磋興趣日進。當時對日戰爭波及華中，許多名作家，隨戰局轉往到贛南，部分做了我們的老師，各報刊的副刊水準，一時群賢薈萃，亦相對提高，耳濡目染，對當時愛好詩文青年，啓導極多，裨益亦大。因此自初中二年級發表第一篇詩作後，便接續專心於新舊詩作，到高中二年級，結合愛好文藝同學，便自費創辦了一個純文藝刊物，名曰

「師風報」。而自任社長。高中畢業同時，出版了我第一本詩集「莽原」。由此便奠定了我寫詩的興趣基礎。三十六年來台以後，仍陸續不斷在寫，迄今發表及獲獎的詩文作品，已積聚達一千四百多篇。

我對創作詩，始終信守「詩言志」的旨意，我認爲無論任合一種文藝作品，應該有正確的思想和使命。古語所謂：「爲文不問世道，雖工何益。」託爾斯泰亦曾說：「所有創作，只要與人類關連的事實，那才是美的。」這些意念我極表贊同，因此；我的詩作，絕不會失落在「爲賦新詩强說愁」的境界。

詩爲文藝之一類，我始終認爲，文學上所具的功能，詩並不能例外，這些功能有所謂：反映時代，啓導時代，開創時代，我們都應該正視以對，所謂文章千古事。道理便在其中。

對於詩的功能，我始終相信「詩心一唱解千愁」的事實。至於詩的好處，孔子在論語陽貨篇說：「小子，何莫學夫詩，詩可以興，可以觀，可以群，可以怨，邇之事父，遠之事君，多識於鳥、獸、草、本之名。」我一直信念不忘。

詩對於未來文學前途的發展極爲重要，不僅在物質文明之後，精神文明失落的人生社會，變化氣質，啓導心靈，掃除焦慮，抒發心境，詩的功效最大，就是開創書香社會亦是最佳前導。

在目前功利掛帥的社會，商業文化隨之興起，許多背棄道德，脫離良智的大眾傳播媒體，出現不實的報導與批判，聚成文藝園地中遍處污染，形成明日社會的隱憂。我們應該及時警覺。自古文心雕龍，筆是正義之椽，我們應該以凜然大義，舉正義之筆，喚起良智復甦，糾正社會時弊，凡是愛好文藝的朋友，應該高瞻遠矚，肩負起振衰起敝的責任，對準文藝救國的目標方向去努力，集大椽義筆而成隊伍，爭回當年長安，酒香詩國的泱泱大風。

心靈上的陽光　4

心靈上的陽光目錄

龍族天聲一脈傳……一
台北從地平線上昂然昇起……一九
源遠流長……二七
歌我華夏……三七
萬壽山前一高雄……四三
爲光明的旅途而歌……五七
曾經在一個島上……七五
流年……九五
永懷　蔣公……一一七
愛心千萬里……一三三
十年風木長相思……一三九
藍善仁年表……一四二

龍族天聲一脈傳

陽光綠野
乾坤化育出滿眼蒼蔥
華夏在陽光下
萬世長春　馥郁迎人
在這裏
方圓有度　順天應人
我們是東方古老的龍族
天地間一叢快樂的森林

古老的中華歷史源流
從盤古斧劈的混沌中流出
由崑崙之虛

經黃土高原
順黃河向東流下
歷五千年不絕長濤
以悠揚節拍
進入我們佇立的時代

華夏在一頁海棠之上
生根立命　我們以
黃土高原遺留的石紡
山頂洞人的化石
研判黃河流域文明的深度
遂見炎黃世胄的面貌
原爲黃色皮膚的始祖
龍族的先人
當盤古的哲嗣
腹鼓擊壤

唱著洪荒時代的戰歌
從山頂洞穴　經
黃山周口店的地層世界而來
由斯　一群先代的聖祖
自茹毛飲血到取火熟食
從結繩記事到甲骨文創始
爲中華文化而開創
成爲源遠流長的龍族
瓜瓞綿綿　接續在
崑崙山下延續開展

時代的巨輪　隨著
歲月輪迴
不斷向前推動
把我們推進到
一級級更新的高度層面
於是　我們在歷史長流中

化風成俗
化雨呈祥
從黃帝軒轅以降　由
堯舜禹湯文武周公孔子而絕
以民胞物與的思想發抒
進爲誠正修齊治平大道
化成金黃的大同歲月
完成民生福祉的偉大締造
遂使我中華文化道統
架構成四大文明古國
人本精神標高
巍然爲世人共仰

從歷史的浩瀚仰望中華
正如在地平線上
仰望額非爾斯峰的面貌
是火藥　羅盤　印刷術

紙張發始的智慧
是孔子　孟子　荀子
　老莊開創的聖典
是蘇武　文天祥　史可法
　岳飛立下的志節
以漢賦　唐詩　宋詞　元曲
化育中華文學藝術的道範
以禮運大同的大智宏謀
發抒爲
「文景」「貞觀」的治績
樹立中華聖治的宏規
讓龍族綿綿不絕的子孫
修己成儒家風範

我們從
民族繁衍的長流之上
身受儒風化育的成長

總是以己立立人的情懷
把喜悅微笑掛在臉上
表徵龍族文化內涵
在古中華五千年史實中
從未有大國欺凌的醜陋
掀起民族威武的狂放
豪奪過弱小　就像
成吉思汗西征的雄風
鄭和七下西洋的威武
亦從未滅國掠地
像海綿私壯自己　且以
興絕舉傾的扶助
化人類危難於玉帛
予天下窮困於互助　寫成
萬國衣冠拜冕旒的大調
爲世界人類謳歌

龍族的文化道統
孕育出我們民族的心胸
正如同浩瀚的海洋
能容納　千川百水
江河萬流　泥沙沉船
即使像英法聯軍的强暴
燒燬我們頤和園的豪華
帝國主義　加諸我們
許多不平等條約的豪奪
以及日本　加以
我們八年離亂苦難
我們仍是化干戈於玉帛
還之以寬大

我們民族的情操
永遠以愉悅和祥的臉孔
表徵自我虛懷歡欣

用自己的血汗
從今天沐雨櫛風耕耘
去播種明日生活華美
用忍讓心懷
從應對進退中
擦亮歷史環節
將忠孝仁愛信義和平道範
種植在每個龍族子孫心上
然後讓老的一代
從年青一代的歌舞聲中
笑出我們民族
永恆的慈祥與壯麗

龍族世代相傳的志節
如同一座石砌的牌坊
樹起民族的風範與堅貞
如一座山

一叢森林般威武
雖然　貧窮迫使族人
連年不絕
生活在饑餓裏　我們
亦從未失節於掠奪
總是　從披星戴月中
勤求自己耕耘的豐收
以塡補各自民生的匱乏
當暴風從遠方吹來
無論如何凶猛
從不苟延於屈服　像
築起萬里長城一樣艱鉅
亦是以忠義　表達
個人對國家的完成
永遠堅强勇敢
用生命換取一塊碑石
將自己的名字刻上

生於斯　葬於斯
從無負恥退避
從無棄國苟活

我們龍族情操的表徵
如同東升的旭日
以熱能化成朝氣
蓬勃出萬道光芒
從春夏秋冬歲序的流轉之中
將生命緊握住歲月的變異
勤耕苦種
儉樸自持
以粗劣裹腹
以碩果易市
將餘裕存付於理想的明天
如斯克紹箕裘　成爲
龍族勤勞儉樸傳統

然後從家學淵源中
串起代代不絕的連續　樹起
敦親睦鄰　守望相助的風尚
揭示民族精神的標高
以詩書繼世心胸
將人生喜悅幸福景況
繪成令人仰慕的錦軸
巍巍升揚民族文化的光輝
如日月星辰
永照寰宇

在牛推磨的農業社會中
幼稚園的名字尚未誕生
自老榕樹萌芽的日子起
每個家庭祖母
便將自己兒孫的托兒所
設在自己的慈懷裏

從茶餘飯後的庭訓中
以孝悌忠信化育後生
築起知識啓蒙深淵
使兒女自童稚靈敏
便在其間
涵泳成龍鳳的皺型　由
灑掃應對的禮儀習練中
顯示出人性輝煌的光譜

家族的宗廟
具有崇高尊嚴
以祖德流芳風儀
提示兒孫前進方向
每一方匾文
每一軸聯語
便是嗣孫遵循典則
從祭禮大典中

謳歌人倫華美　再以
昭穆長幼序別禮教
樹立起尊長的岸然道貌
激勵後世昂揚奮發
我們龍族　循此淵源
綿綿不絕的化育成長
樹立起魏魏
中華大族的壯嚴華麗
耀眼金黃

亦許我們龍族的保守是缺陷
像家族繁衍田園廬墓的固守
像科學技藝專長的獨持
使我們在歷史的長巷中
頻頻失落
許久　許久
走不出牛推磨的旋迴

由斯我們有幸　以
慎終追遠禮儀
三從四德悃範
哺育龍族民德的歸厚　化成
子孝孫賢的連續
貞行懿德的節烈　編織成
社會整體的和諧與寧靜
在世界物資文明之後
譜成精神文明的大調
以雷動雄歌於萬邦

龍族歷五千年
儒家道風的化育
在物質文明的時代層面上
瞻前顧後
歷百年風風雨雨
迎風逐浪

奮勇向前
我們的腳步
終於踩出種子巢穴
播種出人生華麗
我們的奮勇
已撥開漫天雲霧
走向前程錦繡大道
在龍族繁衍大地
青天白日旗的光芒
向四面八方
擴展而昇揚

龍族文化的長流
在宇宙鐘擺的跳動下奔騰
中華歷史文化的延續
從時代發展中精進
如今我們

站立在大時代層面上
接捧爲龍族傳人
我們身受數十年臥薪教訓
我們心知千百戴嚐膽辛酸
以聞雞勤奮操練志節
以起舞精壯振起精神
舉手投腳
歸隊上陣
中華文化從我們手中
化育出新一代的面貌
耀眼亮麗

如今我們
舉目有鹿谷街頭
方帽如雲的士流
一呼有世界各地
牽蹤歸國的學人

烏衣巷的讚歌
在台灣遍處響起

在全民智慧陞騰之後
農村有一禾九穗豐盈
工廠有朝夕推陳新品
晨間有全民運動精壯
社會有祥和寧靜新風
沒有嬉皮頽喪
沒有失落憂傷
政風如堯
勤政似禹
陽光化育我們的生命成藍
今日臺灣已成爲
民生樂利的洞天福地
我們龍族子孫
舉劍耀武

行文化俗
大漢天聲、激揚迴響
已成爲揚眉吐氣
一脈眞傳的龍族傳人

臺北　從地平線上昂然昇起

在基隆河與淡水河之間
乳名「大加拉堡」的盆谷地帶（註一）
從「岩疆鎖鑰」的安然中（註二）
曾經有
米酒與歌舞的昇平

當「八格野魯」粗語
流傳到中國
舉太陽旗的軍國武士
要燒北京的皇宮
掀老佛爺的簾子
在滿清當朝文武

被洋槍火砲威逼在
馬關條約的屈膝下
臺北 由此
淪入一程冰冷的黑夜
而歸屬「塌塌米」的年代

在木屐與地石
磨出響聲之間 爲了
洗卻滿臉墨黑的羞辱
有人在城鄉濺血
把河水染成通紅 通紅
卻無力遏止
山貓酒家
軍國武士 日本浪人
醉酒狂歡的得意軒昂
竟使九條通 紅山樓
淪爲賣笑門市

將女性貶成
鞠躬唱晚的賤人
臺北　由斯
屈居地平線下　成爲
一個盆　一個谷地
盛滿五十年順民羞辱
受人低視

當八年浴血苦戰
烽火雲煙散盡
太陽旗在東亞低頭敗走
臺北重回祖國　於是
廢町目　除神社
將帝國殖民的
諸般律例除盡
臺北　從地平線下
漸自昇起　昇起成爲

陽明春曉的花季晴朗
在舉世暗淡的天幕下
成爲光華四射的明亮燈塔

風雨後的晴朗
展示出民族的昂然立姿
龍吟虎嘯　獅吼鳳啼
由斯全民入線上陣
歷數十年櫛風沐雨
我們終於播種出
一世新熟梅香
滿城杜鵑新綠
成爲一季蓬勃盛夏

今日臺北的昂然昇起
不在重屋高樓之多
不在霓虹燈影之華

而在於
民族的堅強立姿
民風的和祥誠信
以及　大街小巷
人來人往　用
一壺茶　一杯酒
迎接年年月月的春風笑臉
展示精神文明的標高
超越物質浮華之上
全民共享　陽和風暖
四季如花的馨香

這裡的天空
常露祥和笑臉
紫雲如蓋　晴朗如春
沒有浮雲蔽日的恐怖
沒有暗然無月的憂傷

白鴿子的黃昏
亦無須擔憂獵人的出擊

這裡的心胸 正如
浩瀚的海洋 能容納
江河萬流 細沙沉船
不避前嫌後惡
不畏駭浪驚濤
以慈航普渡眾生
以莊敬迎接拂逆

市區縱橫康莊
綠蔭擎天
人來車往的繁富之中
共享綠蔽蔭涼
城街花木扶疏
遍處綠茵似繡

處處是休閒的園地
小巷弄道之內
百貨俱全　取之無缺
處處有民生供需商場

四十年聞雞操作
在這裡　有
萬人學校之富
百所郵局之盛
巍巍　泱泱大風
在中華歷史的長廊
展示出一代風和日麗的明艷
充滿著藍麗的喜悅書香
我們在此昇起
青天白日旗的榮耀　成爲
四海歸心的民主首府
反共抗暴的中流砥柱

在九十年代的中華世紀裡
成爲耀世奇蹟
成爲龍族子孫
全民歸向的圓心
自由幸福的樂園

註一：臺北古時原爲一片沼澤密林，土著平埔山胞，稱爲：「大加拉堡」
註二：臺北古時在東北兩門外，俱設外郭，郭門題有：「岩疆鎖鑰」四字。

源遠流長

站立在崑崙之巔
俯瞰長江黃河　橫貫
太平洋濱的海棠地廓
奔放東流　萬古乳源
孕育大地　自古老年代
以東方誠樸樸壯麗色彩　構成
中華民族悠久的歷史與文明

當盤古的哲嗣
唱著洪荒時代的戰歌
從周口店古原而來
經過北京人的廢墟

由此而有
一群先代聖祖
爲人類文明而開創

讓我們榮耀地追溯
如同英雄追思戰功彪炳
追思我中華文化先代光輝
以無比興奮　膜拜
列祖列宗光榮聖蹟
古中華文化正如同
巴顏喀喇山迸發長江黃河的源頭

從黃帝軒轅以降
由堯舜禹湯文武周公而孔子
以民胞物與的思想發抒
進爲誠正修齊治平的一貫大道
化育爲大同色彩歲月

完成民生福祉偉大理想
連續成中華文化道統
孕育以迄於完成
爲四大文明古國代代絢燦
在古老的年代
儘管埃及的祖先
曾經如同建築他們的金字塔一般
在建造他們輝煌年代
愛琴海的人民　用原始節拍
在歌舞他們榮耀安康
印度和巴比倫
在文化史上撰寫他們璀燦的新頁
但是　曾幾何時
希臘的戰鼓
震破了愛琴海上的王朝
巴比倫的輿圖
在亞述人凱歌聲中換了顏色

還有埃及人民
被羅馬壯士趕上了奴隸船
由此而失去了他們的國土
文明古國之中
能繼存發展的究有幾許

而我中華啊
在時代的遞邅演進中
歷久彌堅　生生不息
經五千年治亂而迄於今
依舊大風泱泱　被譽爲
源遠流長的文明古國
中華文化　以我們
先聖先賢智慧的開創
先烈鮮血的灌溉
培育成茁壯的根苗枝葉
開不盡歷史文化的奇葩

巍巍金字塔　沒有我們
迤邐於天際萬里長城的精神豪壯
厚甸甸的聖經　比不過
孔孟之書對人類精神文明貢獻偉大
西方文明政治的胚胎
那能齊駕文武周公的政績昭然
遠在秦漢時代的文物典章
顯示藝術修養的精深博大
且以「禮運大同」的思想
發抒爲「文景」「貞觀」治績
以漢賦　唐詩　宋詞　元曲的優美
孕育成文學藝術範型

從史實仰望我們祖先
如同在地平線上仰望額非爾士峰崇高
是火藥　羅盤　印刷術　紙張的智慧
是孔子　孟子　老子　荀子大智的豐藏

是秦皇　漢武的奇功彪炳
是蘇武　文天祥　史可法岳飛的志節高超

銀河的星辰在流轉
帝業的興替在變換
滿清三百年腐政
使我民族遭逢著空前苦痛
幸有民族智者　以其
先覺先知的卓越智慧
創建三民主義眞理
以倫理民主科學接合文化道統精蘊
啓示生長在海棠地廓之上的中華兒女
以春之蓬勃精神　毅然躍起
組成革命的隊伍
在革命導師指引下
高舉起反清革命聖火
從檀香山到廣州

從武昌到金陵　終於燒毀了
穿在宣統身上最後一件龍袍
燒盡了封建餘孽
從此　中華民族歷史
寫出還政於民的輝煌新頁

一個新的民國　終於誕生
一個偉大的時代　終於來臨
我們榮幸地得到民族的智者
領導我們建黨革命　開國定制
以及描繪中華强國藍圖
我們榮幸地，得到民族救星、繼承革命大志
領導我們北伐　剿匪　抗日　行憲
當革命志士組成了堅强隊伍
當三民主義的奮鬥付於行動
當青天白日滿地紅的國旗飄揚於全國
當日本人拖著太陽旗而低頭敗退

當列强廢棄了不平等條約
當第一任民選總統在南京宣誓就職
當耕者有其田及九年國民義務教育實施
民族文化的闡揚
終於宣示三民主義世紀的來臨

我們從古代的回溯　到今代事實的印證
五千多年來的中華文化
以祖先光榮的遺留　更加今日努力創建
儘管我們曾在漫長歲月中
有過陰晴圓缺　有過盤根錯節
而鑒古知今　承先啓後
我們的文化
由於源之遠　必能導致流之長
惟其淵源有本　必能化育成新
以我們萬世煌煌文風
以我們禮樂之邦道統

以我們民族情感和平力量融和
以我們倫理規範潛移默化薰染
必能導使中國以至世界
從光明大道　進入大同時代
使三民主義的中華文化
永伴著青天不老　白日輝煌

歌我華夏

古中華歷史之源
從盤古斧劈的混沌中流出
以悠揚節拍
進入我們屹立的時代
在五千年輝煌史冊中
我們的民族精神
正如同中華響亮的名字
輝耀著許多崇高意義
我們歷史的傳統
有如浩翰的海洋
能容納江河萬流
始終是那樣的王道蕩蕩

民族文化的精蘊
正如耀眼的晨曦
輻射在舉世人類共仰的晴空

我們的民族
永遠是用自己的血汗
以今天的披星戴月
去播種明天的華美
從櫛風沐雨之中
自求耕耘的豐收
將忠孝仁愛信義和平的根苗
深植在每一個中華兒女心上
然後讓老的一代
從年青一代的謳歌聲中
笑出民族永恒的壯麗
我們民族的意志

像萬里長城一樣的挺立
在民族正氣的照耀下
表達個人對國家的責任
永遠如斯堅貞
如此克紹箕裘
成爲民族皇皇的傳統
從家學淵之中
樹起偉大風範標高
懸掛在舉世人類嚮慕的心靈上
顯示中華的榮耀與絢燦

在中華民族傳統的社會之中
以骨肉親情構起家庭的溫馨
從血緣的情分交感中
謳歌人倫聖美
激勵後世奮發
孕育民德淳厚

樹立起子孝孫賢的範型
民族便從每一家族的代代化育之中
寫成人性輝煌的光譜
砌起中華精神文明的巍峨

時代的軌跡在動盪
人世的變幻無終始
繼戰爭帶給人類苦難的洪流
大地隨著紅禍赤燄而變色
血腥的紅旗指向之處
文化從神座上擲入溝渠
文明在刺刀下隨血流冰凍
精神從鬥爭中崩落
生命在恐怖中掙扎
今日大陸的慘霧愁雲
讓世界到處呈現出暗淡陰影
譜成這一代大動亂的悲歌

在此舉世滔滔的苦難中
我們不作哀嘆
而以獅子吼的憤怒，毅然躍起
以「處變不驚」作惕勉
以「莊敬自強」爲南針
操練我們「毋忘在莒」的意志
以臺灣爲三民主義模範省的建設
以耕者有其田以及九年義教育爲範例
展示我們這一代的作爲
追隨我們偉大的舵手
衝過驚濤駭浪而駛向海的彼岸
民族史冊的新頁
將從此一充滿希望的大時代中再造
華夏光榮的闡揚
更將從民族精神的光熱之中
點燃時代輝煌的聖火
千秋萬世，永照人寰

萬壽山前一高雄

萬壽山　含蘊
芝蘭馥郁的光華紫氣
化育出　乳名打鼓（註一）
一片濱海大地　在
古老悠長歲月中
龍族先人　曾經
開天闢地
斫榛伐莽　由幾點
漁火聚居的荒僻村落
發展成爲城
　成爲縣

成爲中華民國
最年青秀氣的院市
更進成爲
國際間十大聞名的港
打鼓的英姿
由襁褓而成巨人
爲天下人同讚共揚

溯源而上　在
旱煙斗燒天的歲月中
木屐與地石磨出的響聲
譜曲成米酒與歌舞昇平
從漁歌唱晚聲中
茁壯成萬家燈火港埠
祖先們　曾在
這片沃土上
漁網豐收之外

除蕪墾荒　種植
稻穀與甘蔗、富裕金黃
爲外族窺視垂涎　而有
荷人盤踞屈辱
使遠祖先民
在陰暗歲月中
望不見　屬於
自己的笑臉陽光

三百二十年前的永曆十五（註二）
是轉綠陽的年代　當
民族英雄鄭成功的礮火
燒燬荷蘭的艦船城堡之後
承天府的大纛　從
普羅民遮城（註三）巍巍升起
鄭氏的不朽奇功
寫就一頁

光耀萬世的輝煌歷史
由斯　大漢兒女
擁有屬於自己的
大地　天空　與海洋
陽光照射在　這片
屬於華夏沃土上
煦和成能　於是
祖先以昂然立姿　從
華路藍縷之中　播種出
滿眼新綠華美
哺育子孫歲月綿長

滿清入主中原
華夏進入一程
變亂暗淡時光
我們在堅强順變之中
牢守大漢風儀的傳統

熟讀古聖先賢的篇章
築土城於左營爲縣治
從風風雨雨之中
創基立業
化風成俗
直至道光年間
洒集資崇宏縣址
上築雉蝶
下開城壕
以堅石樹起
鳳儀　貸海
啓文　拱辰（註四）
四方華麗城樓
成就華夏一城新貌
由斯　我們進入一程
寧靜祥和歲月
鄉風誠樸安康

甲午中日戰敗
滿清馬關屈膝的國恥
打鼓被淪入太陽旗下
成爲軍國主義者的魚肉
同胞　由斯歷五十年
「八格野魯」奴罵愧恥
從睡「塌塌米」的年代中
化羞辱爲力量　以
中華民族傳統的勤儉樸實
奮起汗滴禾下的艱辛
播種出一季　屬於
龍族文明新綠
高雄之名　遂
由斯誕生
漸進成長

八年抗日勝利

當太陽旗　在
海棠地廊上低頭敗走
光復台灣　重回祖國
廢町目　除神社
鄙棄神符背包的和服
我們由斯舉起
青天白日大旗
以森林威武雄姿
披荆斬棘入線上陣
由綠野走向城市
以農業促進工業
完成一曲
革固鼎興的時代大章
歌唱產收豐隆的夏熟金黃

愚公移山的精神如樹
種植在黃帝的子孫們心上

萬千凌雲壯志
奮起人定勝天雄風
林立在生產線上
化礦源為巨能　點燃
遍處馬達聲響　以
智慧　匠心　技藝
從波星戴月的艱辛
締造出工業園區雅號
然後　以雙手
編織　雕刻
熔鑄　錘鍊
將素材化品成流形
從加工出口輸出
進入世界商場
由斯我們步上一程
百美迎人的花季
成為開發國家中的奇蹟

後來居上的榜樣
世界物質文明之後
鋼鐵的威武
稱霸稱强　於是
我們遵循
迎頭趕上的遺訓
舉聖火爲燃燒
化勤奮成力量
以動員戰鬥勇武
建設成一座名聞世界的鋼廠
集智慧人力物力運用
建造出時代中最新的海運艨艟
高雄由斯享譽爲
世界科學快速發展的奇蹟
從此科學文明技藝
雄視萬邦

萬壽山前的一灣海藍　是
通航世界的國際商港
三十年慘淡經營
浚沙灘砌築成船席
成就百號碼頭雄風
積國人心力
移山塡海的開創
寫就雄冠世界
海運便捷迅速新頁
由斯　艨艟群集
浪花不謝　進級爲
世界十大名港
航海家稱道是
高雄的月亮最圓最亮

站立在萬壽山上
遊目四顧

滿眼新綠景況
高樓廣廈林立
縱橫大道康莊
商運接踵不絕
港勤日夜繁忙
遍處有綠色休閒園地
鄰里有民生供需商場
顯示出一季
風和日麗的嶄新面貌
輪迴堯天舜日
萬民同樂小康

如今　陽光化育
我們的生命成藍
百萬市民
生活在笑臉迎人的花季
受詐民生社會的祥和寧靜

飲福物質文明的富裕康强
我們的腳步踩出種子巢穴
我們的心嚮正並駕晨曦昇揚
西子灣、水光瀲艷
顯影市風清秀華美
蓮池佛光塔影
愛河霓虹燈光
中華大道綠蔭似繡
左營聖廟文采芬芳
醉在世界人們心上
飽愛萬國衣冠讚譽嚮往

如今　我們
階層知識、在普及成長
中華文化　化育
百萬市民　威震八方
海嶽長風萬里

壽山紫氣呈祥
帶來了
愛河堤畔百業豐隆
工商實業飛躍成長
望遠海波濤壯闊
聞市區馬達聲響
高雄啊　高雄
萬壽山前滿眼藍麗
已成爲天下共識的圓月
高雄市的遠景風光
在百尺竿頭　將寫就
華夏史頁中
絢爛的時代大章

註一：高雄原名打狗又名打鼓
註二：永曆十五年是民族英雄鄭成功打敗荷人光復台灣的年代
註三：普羅民遮城即今台南市赤嵌樓

註四：鳳儀　龔海　啓文　拱辰即舊城東南西北四城門名

為光明的旅程而歌

陽光滿空
煦和成能　宇宙間
林林總總的無窮生命
從陽光下化出
星球位育成銀河
民生進化成歷史
許多文明的圓
連接成環
環連荒古與現代
成爲人生旅程
成爲傳統連續

宇宙的鐘擺連緜敲打
將中華五千年歷史
錘鍊成一串鏗鏘音符
譜成華夏長歌
唱讚中華文化
自孕育迄於完成
成爲炎黃世胄
相傳相繼的千秋道統
成爲黃帝子孫
人性輝煌的耀世光譜
華夏冠帶大族
每一代春的絢燦
都是子孫血的沸騰
升揚爲蠟燭身軀
從燃燒自己之中
化成浴火金龍
煥發出金黃歲月　成爲

中國之春的繁華錦繡

在東方　一長串
風風雨雨的年代中
中華民國的誕生
從東亞陰暗的天空下
發出第一朵自由民主火花
成爲亞洲自由民主的火種
我們由斯
在陽和風暖
冰河解凍的江流之上
映照出龍族傳人的昂然立姿
成爲東方新世紀中
耀眼金黃的騰雲錦龍

民國新成
國步維艱

野心與貪婪　如同
陰暗的日蝕
吞盡滿空的明亮
冷風育不出新芽
權勢在瘋狂咆哮
從許多你爭我奪之中
將點燃春光的火種
引爲毀滅自己的燃燒
稱帝　復辟
自負　媚外
民國的歷史新頁
被捲入腥風血雨之中
從無數迂迴曲折
崎嶇泥濘的坎坷旅程
進入幽暗的漫漫長夜
軍閥之後有匪亂
九一八之後有一二八

然後在軍國武夫的侵略下
進入八年長期浴血苦戰
一葉海棠之上
被戰火燒成滿目瘡痍
祖國的錦繡河山
遍地是靴印殘痕
國脈民命如同憔悴的麥桿
在乾旱的荒涼大地
成爲枯枝萎草
四萬萬中國人心　全在
死神君臨的淒淒惶惶
渙散成沙粒　終於
淪爲次殖民地的魚肉芻狗

當北伐的巨掌
將龜裂的中華大地
縫合成海棠全景

軍閥的綠林歲月
由斯冰消 當
八年烽煙散盡 太陽旗
在我們的陣前敗走
中國 由斯輪迴
一季莊嚴時刻
成爲世界四强大國

我們正以晨曦的清流淨目
瞻望一季新綠的中國早春
卻又被 賣國的朱毛奸匪
乘我八年損耗之虛
將南京的宮牆殿瓦
驅使滿城風雨 從
百孔千瘡之中
泛濫成空前浩劫
一葉海棠國土 再被

淪入紅色深淵之中

極目四顧
天幕下陰霾層層
長空暗淡　詭譎迷離
世界秧歌四起
滿天烏雅淒啼　在
赤浪滔天
人類道義淪亡之後
英國　低頭走了
日本　低頭走了
加拿大　美國
亦低頭走了　現實中
我們閱破世情方知紙厚
深知沒有耐雪傲霜精神
撥不開漫天雲霧
看不到光天化日　由斯

我們從苦難的盡頭
轉身從艱鉅中步出
迎風破浪　舉起
誓死反共大纛
成爲自由世界
阻擋赤禍的中流砥柱

時序嬗遞　常有
月圓月缺
花開花謝　我們從
三十八年結冰的苦難　到
三十九年化雪日子的晴朗
由艱苦的盡頭
轉身走向光明的大道
日子就像迷濛的霧景
在晨光中漸次明亮　從
「革命魂」「軍人魂」「民族正氣」

一序列的聖諭警覺之中
操練志節　磨厲心力
我們認知
沒有鐵打金剛的堅强
就像三秋飄蓬
將無落之地　由斯
奮起歲寒後凋之松勁
操練耐霜敖雪的梅節
遂使　沉睡了
幾個世紀的雄獅
在晨光曦和的號角聲中
怒吼躍起

在旭日初升的寶島上
陽光爲能
時風化景
愚公移山的精神如樹

種植在黃帝子孫們心上
聞雞起舞
朝習晚讀　終於在
大星明亮的照耀下　讀出
自由的取向
步伐的歸趨
凝千萬靈思成熊熊聖火
焚盡依賴
燒毀迷惘
從苦難中成長
從艱危中茁壯　自此
中華兒女　屹立在
自立自強的大陣上
人人煥發成
森林中想飛的樹
三十年　蒙羞往事
自「毋忘在莒」的警惕中

凝結成五千年歷史重擔
落在中華兒女們肩上
入線上陣　奮勇向前
在金色的陽光下播種耕耘
耕升了天狼牛斗
耕白了更鼓夜漏
終於耕耘出一季
萬紫千紅的歷史盛夏
從此　中華民國大地上
千仞絕壁　闢出康莊大道
浩海沙灘　築成艨艟巨港
從地上拔起的是巍峨大夏
從南方出口的是推陳新品
國光號的窗外
滿眼新景
美麗如畫　由此驗正
我們擁有人定勝天的能耐

成爲瀚海汪洋中　乘風破浪
航向光明的堅强鬥士

在八十年代
密蜂亦無暇休息的時刻
從苦海方舟之上　由
偉大的舵師道航我們
一程程走出黑夜
一年年衝破艱鉅
讓我們信仰眞理擁抱光明
從堅强的大陣
昂揚前進　且以
十大建設　雕刻出
社會嶄新面貌　再以
九年義教窗燈
勤讀五千年皇皇聖典
將中華道統更進升揚

由是　我們取向
開大門　走大路
從群眾中來
走回群眾中去
由步步踏實之中　終於
走出一季新綠的中國之春
讓世人加封爲奇蹟

在陽光引燃全盛的麗日下
陽光哺育出一季盛夏來臨
喜悅的笑臉如花迎人
歡樂的歌聲四處飛揚
如今我們　再從
工業起飛的高層之上
迎接一九八四年的再出發
陽光晒乾了我們的翅膀
風雨鍛鍊出我們的膽識

我們堅強屹立　嚴守著
屬於我們自由的國土
我們自強奮發　振著起
昂揚前進的革命精神
盡自己的智慧
創新時代層面的架構
用自己的科技
作育全民的福祉
力量集中　奮進於
後來居上的追趕超越
如今我們　已擁有
許多王國的雅號美譽　在
核子咆哮太空爭霸的時代中
煥發出國風泱泱的光華神奇

中華民國　面對著
混濁迷離的動亂世界

從赤禍汪洋的浪濤之上
昂然昇起　昇起成爲
時代標竿　中華世紀
回首前程　從
風雨連緜的坎坷泥濘中
我們歷經無數
信心與毅力決勝的考驗
從智慧與經驗的磨鍊中
人人均歷練出
移山塡海的勇氣
冒險犯難的膽識
在全球性的諸般風暴衝擊下
屹立如山　堅强似鋼
今日臺北　成爲國人
自由幸福的圓心
照耀世界的燈塔　擁有
百家電腦之盛

百所郵局之便
萬人學校之富
重屋高樓之華　是
千萬人心歸向的安和樂土
萬邦人願心嚮的自由聖地
從文化和祥的春風笑臉
展顯出精神文明的泱泱大風
喚回了昨日離去的朋友
召回了反共救國的義士
和我們並肩攜手
和我們合作互助　共進
三民主義世紀的大同康彊

三十多年　我們站立在
風雨飄搖的方舟上
迎風破浪　奮勇向前
在歷經許多

時代逆流衝擊下　鍜鍊成
一身是膽的大勇英武
不畏橫逆的剛毅情懷　成爲
怒吼雄獅
浴火鳳凰　升揚爲
時代人類的法式
華夏巍然的尊嚴

如今　我們莊重地
再從新的甲子年代走出
時序輪迴雙春雙水的吉祥年代
在紫雲如蓋的祥雲籠罩下
眞理指導我們向前邁進
迎面是一程
開發國家的錦繡康莊
在昨天迎頭追趕之中
我們已經

用智慧揑出團團希望
用腳步踩出種子巢窩
今日寶島　迎面是
一空晴朗　滿眼新綠
在自由的國土上
　「和煦如春風
　光明如旭日」
我們舞梅擊壞　高舉起
青天白日的大纛
爲光明的康莊旅程
放聲高歌

曾經 在一個島上

那年 執戈待鼓
曾經在一個島上
讀大海浪濤的起伏揚歌
數迎來送往的航跡擺渡
歷單日炮聲的謊言巨響 以
臥薪勵志的激憤心胸
起舞聞雞的自强精壯
寫就接戰線上的戰歌
譜在你我的心弦共鳴

島 鄰近鬼域

萬里長風中　海峽兩岸
同一河風流
有隔世炎涼
風帶來　彼岸鬼哭神嚎
使我們銘心領略
何時　何地
不敢隔江猶唱
革命之歌
在此轟然雷動

島春和煦
滿眼如畫
自大後方而來的
總是風采非凡　被島上
素昧平生的盛情
借酒煮熟
彼此之間的名字

從記憶中翻出
一些顏色
一些鄉音
一些形象
從其中　認同彼此
成爲環　連接你我
在一條線上　而成
根基盤石
森林威武

島上無河
沙塞似的悶心單調
由斯習慣沉默
日日披陽光如樹
望海成癮　守著
春夏秋冬的季節輪迴
魑魅魍魎的渡海浸犯

讀戰地的暮鼓晨鐘
踐聞雞的志節操練
我們在此
做過的　便留下痕跡
種植的　便結成花果

在原子核子咆哮之後
戰爭遂成爲
亂麻似的許多糾葛
炮變成說謊的工具
有人說　舉那面吃人血
而染紅的旗手　是
說謊的專家
總是用謊言
籠絡民心　醫治饑餓
我們由斯聞悉　許多
從單日接續而至的炮聲

在說全民練鋼
土高爐煉出了
許多許多的流形
火車頭　米格機
全用毛屁錄作動力
北京的風　一夜間
能化塞北大漠成江南綠洲
三面紅旗的呼風喚雨
青石上的綠苔已開出鮮花
將使八億引頸嗷嗷的人民
重回普渡山上　與
佛祖共居仙境
喝一口西北風
便能長生不老
囈語謊言　連年不改
我們在雙日深夜　便以
救世福音

善言忠告
「放下屠刀　立地成佛」
結算此一回合
我們始終操持勝券

謊言都是紙糊的
說他是紳士
卻不諳冠帶禮儀
說自己是神仙
卻變成托缽的僧侶
永久醫治不了饑餓
永遠遮不住尾巴
舉劍便能把它刺穿
點火便能燒成焦黑
於是　我們心壯如山
舉劍成大陣威武
巍然立於攻擊發起線上

成爲金剛猛虎
成爲百勝雄師

春天　我們
身披陽光煦和
挺胸昂揚前進
棄亂石
焚茅莜
植滿島綠蔭翠柏
成江南新秀
人人自强奮起
以汗珠滋潤斯土
一座新的學宮殿宇
一座新的文化大堂
經我們舞鋤而成
許多種子　便由斯
萌芽滋長

四月南風煦和
連蝴蝶亦無暇休息的季節
滿島榴火
帶來夏的跫音
正是漁網豐收時節
遍處笑語聲揚
我們由斯進入一季激奮
帶動全島軍民
練殺敵威武
謀待兔大陣
舉鋤　舞劍
砲陣中坑道四通
出擊總是勝果豐收

罵人　是一種藝術
如今　卻成爲行業
在戰地特別風行

從對岸罵過來的
全是三十年前
婆婆媽媽的舊話
文化貧乏成滿嘴荒腔
連鄧麗君的舊歌
亦向我們推消　有時
唱抗戰時期的老調
罵三朝皇帝的夙怨
盡是潑婦的俗言
除了環島的城堡和炮願聽
人都沒有那份閒情

島上無河
龍舟鼓息
端陽並不寂寞
許多來自後方的慰問
化成源　化成能

成為萬斛士氣泉源
鼓舞滿島豪情
島姑亦爭相起舞
舞槍 舞劍 舞起
一代新的木蘭辭唱
響徹雲霄

當建電設廠 點燃
全島燈火輝煌
島上邁入一季
新的繁華時代
夜市由斯熱鬧興起

我們舉手投腳
舉鋤揮劍
雕刻成全島
縱橫坑道迷律

連接砲口　直通彼岸
有新聞　便從其中
傳入鐵幕

自老榕樹萌芽的日子起
文化道統的連續
使我們習慣於人情的醇厚
於是你我　總是在
晚風輕拂的夜裏
休閒息手的假日
你來我往的　在
梅石　山隴
有時亦在嶺上的城堡
以嫩魚鮮蟹煮酒
同福島上時珍
總是鬧成滿臉輝煌
然後　便到那條街上

欣賞小白菜　以及
甚麼之花一類的風采
直到熄燈時分
便興高彩烈的踏月歸去
有時碰上了說謊的砲聲
依舊喜笑風生
說他們沒有眼睛
看不見我們這些大人

在天幕下　日夜
守著雲台山的閒情
操課之外香煙燒天的悠閒
成爲休閒生活的鴉片
在此　使我們熟悉
許多世情
許多風俗
以及各地的方言妙語　儘管

島上無河
聞不到流水歌唱
嶺上無楓
拾不到紅葉題詩
電影上一類的戀愛故事
卓文君一類的人世風流
就像是　西門町
迷你裙一樣的流行
任何一段情史
一經傳出
便能滿島風聞

秋天　蘆花泛白
晴空萬里
是望雨心急的季節
卻難聞夜來風雨
船　總是由此失約

許多的期待失落
令人望海失眠　於是
在心靈空虛中
水鬼摸營的故事
砲彈追蹤的奇聞
流行得特別淒迷
使這季炮聲倍感驚覺

月圓的日子
砲口便沉默不言
那些罵人的說
是屬於傳統的仁慈
你我都知道這是鴉片
上癮　便成危局

佳節　總是
撩人日子

許多吟月詩唱　在
不屬後庭的歌舞之中
化成易水之濱的羽聲慷慨
軍民同在其間　總是
揚歌起舞
聲威如雷

秋天　是收穫的季節
這年特別豐盛　刻在
你我心上記憶最深的
是陰雨中的環島公路通車
沒有明星剪彩
沒有豪華裝扮
一列巴士車隊
喚起滿島爆聲以及
龍獅歡舞　由此環島交通
進入新的紀元　配合

中正國中的建校開學
中正大廈的落成開台
南來北往　途歌風順

鼉鼓無聲　北風
帶來一季南國霜天　島中
水落石出　寒意侵人
使我們難以習慣冬裝的笨重
由斯憶及四季如春的台灣
以及　家庭的溫馨
便以海產　大麵
島上時珍　連同
平安　思慕
寄慰遠方親情
島上　梅開五福的年景極濃
冬至以後　許多由

遠方而來的熱情慰問
響起如風鈴般悅耳的節拍
拍打出情節動人的悠揚
使你我感受身披陽光
有著透心溫暖

永遠忘不了
一個飄雪的日子
我們立正迎來
那位穿夾克的先生
他的仁慈
帶給滿島春溫　問我們
穿的是否過於單薄
水源是否已作改善
然後　檢視全島一年新成
煥發滿臉笑容
嘉許我們的毅力

獎勉我們的膽識
對我們　說些歷史故事
同餐那鍋復興大菜
然後　和我們繼續那盤
幾年來未分勝負的棋局
總是以萬般慈祥
撫慰全島軍民　驅使
萬家生佛
遍處回春
四方大海
歷一年悲憤咆哮
震撼聞雞心胸
警覺起舞志節
在力的表達　槍的躍動中
我們堅實的腳步　終於
走出許多新的坦途
我們付出的血汗

終於滋潤島上
成爲新綠大地
孕育成許多生命的茁壯
展示滿島風光
呈獻在十月　總統府廣場上
經天下人評鑑　成爲
一代精神
一世雄風
擦亮歷史環節
寫成歷史新頁
你我雖然沒有留下名字
一年風雨　淨洗半生塵衫
尚存幾分思念

流年

今日並非昨日
昨天實難倫比今天

臺灣　這一世紀的流年
屈指推算　這片
海嶽豐腴之地
在阿里山　荒煙野蔓中
神木的祖先萌芽時代
葳蕤莽莽　林木蓁蓁
山族島民　以
獨木橋連接文野

從茹毛飲血　漸進熟食
數著季節的輪轉
守著出獵的歲序
生於斯　老於斯
渡完一生艱困
便自然死去
將生命歸終一堆黃土
便是人生的完成

甫自倭國皇民
小野妹子入貢中原
龍族先人　從漁溪走出
渡大海　入荒陬
蓽路藍縷　拓殖斯土
從漁火點點的荒村
創建雛型城堡　那時
寶島的人生歲月　就像

陶潛筆築的世外桃源
無風無塵的恬靜
馬致遠吟哦的天淨沙
無雲無雨的爽朗
三家村的世世代代　總是
裹著獸皮草裙　赤著雙腳
在高山　在大海
在波煙野蔓中
追逐歲月的輪迴
尋求人生的溫飽

稀疏的村落
一條小溪　一片平沙
一縷炊煙　一戶人家
小子們　總是光著屁股
享母親嘴裡的米羹
玩修枝充竹馬

老祖母　就像
看守風水的老榕樹
年年　月月　日日
用香火燙貼平心境
守著竹籬茅舍
守著庭院椰林
搖動粗糙的紡車
紡織一家身穿的溫馨
慈懷便是兒孫的托兒所
讓世代兒孫　在此
甜睡入夢　安然成長

眾家父祖
日出而作　負月而歸
望月庭前　閒享晚風
藉旱煙燒天時刻
閒話家常　傳述

稗官野史　佛說大道
如同晨鐘暮鼓
讓眾家小子　在此
家學淵源傳遞中
涵泳傳宗繼統的連續
歷三百年　風霜雪雨
漫長的暗淡歲月
燃薪繼晷　慘淡經營
始有米酒與歌舞昇平

時風　從遠方急速吹來
西力東進　於是
婆娑之洋　美麗的島
已爲列强覬覦之的
運會時聚　而有
連串外人進犯之役
砲火硝煙　烙印出

風雨滿山的殘傷　直至
清廷進入風雨危樓
甲午之役　輿圖換稿
從此族人命遭九逆
淪入未濟易象
垂頭進入太陽旗下
由風和日麗的四時晴朗
進入葉落秋傷的暗然蕭瑟
而歸屬於
和服順民的苦難歲月

在皇軍劍道稱狂的日子
國人為洗刷「百格野魯」的羞辱
城鄉處處在濺血報怨
將南北溪流染得通紅通紅
卻無力遏止　茶室酒家
軍曹　武士　浪人

慾火軒昂的得意
竟使大街小巷
淪爲綠燈門戶　將
傳統貞節婦道
貶成紅粉野花
鞠躬唱晚的賤人　迫入
爲人不齒的下流門風

歷經一程失國的傷痛
失血的蒼白
貼在同胞的臉上
貼成四時憂傷　由此
蓬萊仙島的雅望　陷入
一個盆谷　一個苦海
盛滿五十年順民羞辱
令人低視
仁厚的黃帝子孫

除了改名換姓
歸順天皇　否則
祇好側身奴僕
充當軍伕　將
辮髮接連於刀俎之上
同胞的心聲　便成爲
悲傷的哨吶
日夜爲憤恨而哭泣
從此　千百萬同胞
不知明日　不知晝夜
進入無星無月的漫漫長夜

在太陽旗
掩蓋的天空下
見不到陽光
受不到朝露
種子不能發芽生長

花木不能茂密成蔭
森林不能茁壯威武　同胞
被和服神符壓迫成屈膝的低姿
受夷文蠻語作育成蠻荒的粗魯
迫使我聖聖相傳的中華文化
在陋巷中默默薪傳
軍國武士的專橫霸道
在大街上掀風作浪
市井村里　人來人往之中
除了酒家茶室　有
商女歌聲　浪人狂笑
鮮有迎人笑臉　連
門神亦失去祥和的臉容
梵音變成哭泣哀嚎

當木屐磨響地石
刀劍頻擊喪鐘

歌聲淒涼的歲月
國人除了在塌塌米上
夢想光天化日的祥和
晨曦永遠照不入心扉
陰暗的天空
冰冷的歲月
國人永遠迎接不到
屬於自己的春天

歷五十年
荆棘泥濘的暮過坎途
曾經在風雨飄搖中
聽鴇鷹淒啼
觀血雨成河　從
連年不斷的國仇家恨中
讀人生冷暖　世態炎涼
終於讀懂天造命運的輪迴

我們由斯領略
粉紅的歡欣　縱然易逝
漆黑憂傷　亦不永存
從此風雨信心之中
舉手胼腳
用自己的血汗
作育自己的兒孫
用自己的腳步
踩出種子的巢穴

乙酉的晨雞
喚起了初露的晨光
喚醒了睡獅的大夢
奮起祖國十萬雄兵的怒吼
在海棠地廓雷動　迫使
昭和二十歲的命運　從此
進入黑夜深淵的窮境

是九秋飄蓬的霜天
廣島一聲震撼
震撼著地球
震倒了軍國武士的危樓
當太陽旗　在
抗日大陣前低頭敗走
當昨天的劍道狂人
都成爲戰犯
當舉世的烽火雲煙散盡
世界重回寧靜
寶島天開化宇　鴻運迴乾
青天白日的大纛　在臺北
天空下　冉冉升起
生活在寶島的族人　從此
洗卻墨黑的臉容
抬頭從苦難中走出
收拾起　屬於自己的

大地　天空　海洋
從中華文化的源流上
揚帆航向民國的春天

結冰的霉運已去
化雪的日月重光　從此
全民以晨曦的清流淨目
瞻望一季時風化景的早春
終於在陽光普照下
叩開春天的暖門　國人
披著春風時雨
從苦難的盡頭
轉身走向光明的大道
在星光煮沸夜雨的灌溉下
苦難後的乾旱大地
終於長出遍地新綠
從此玉山之下

步步芳草　遍野欣榮
人在歌　花在笑
萬民神采飛揚
日日　月月　年年
在歲序流轉之中
迎接天空太陽的微笑

是民族正氣的晨鐘召喚
喚起軍魂國魂的甦醒
從全民朝習晚讀之中
讀出祖先的昂然立姿
讀出歷史的輝煌面貌　以及
國人步伐的共同趨向
民族自由平等的一致歸趨
從聞雞練劍的勤習之中　練成全民
英雄虎步的雄姿
鐵打金剛的威武　從此

大陣中馬達聲喧
農村裡萬山歌動
用自己的智慧
創新層面科技的架構
用自己的雙手
雕刻出時代嶄新的面貌
終於耕作出
一季金黃的歲月
歷史的盛夏

時代的鐘擺
敲打出鏗鏘的音韻
全民並肩齊進的腳步
踏出大地風動
書香化育出
我們民族的心胸
長空瀚海　月白風清

風雨鍛鍊出
我們民族的志節
旋乾轉坤　煉石補天
北山愚公的精神　啓導
我們人定勝天的信念
乘風破浪
石裂天驚　我們終於
從溫室中培養出新種苗芽
在海域裡成功魚蝦流放
用鋼刀作育出忠仁忠義新生
用雙手編織出大地文明錦繡
塡海成綠洲
通山成康莊　寫出
華夏月圓新篇
爲萬邦歌頌
如今　國光號的窗外

農村有一禾九穗的豐盈
城市有百所電腦公司的興盛
舉目有鹿谷村街方帽如雲的新景
遠眺有龍虎雙塔雄峙的壯麗景觀
一呼有接踵歸國的權威學人
從地上拔起的是高樓廣廈
從南方出口的是推陳雋品
由時代科技的精進
成爲東方耀眼的金龍

我們朝朝迎著晨曦
站立在歌聲風動的彩繪大地上
昂揚大步前進的光華歲月中
壁上的鐘擺
不再唱讚淑女的溫文
人人高舉
帶有疤痕的美麗雙手

以森林威武雄姿
表徵國人如龍似虎的雄健
從此我們
堅强屹立在時代層面上
迎風逐浪　進取追超
我們的腳步　終於
進入開發國家的大道
成爲國際信實的友人
昨天離我們而去的朋友
如今都已回頭　回來和我們
握手言歡　互惠比高
終於贏回　亞洲之龍
經濟大國的加封
被世人譽爲奇蹟

四十年　陰陽際會
海嶽風和日麗

小康已成　大同漸進
三保宮前的老榕樹　成爲
德福村的守護神
守住全村的風水
一年四季　風調雨順
成就村中的豐盛祥和　從此
老榕樹下的長板凳　成爲
昨日驅牛而耕者的俱樂部
日日　月月　年年
村中父老　在此化身菩提
享香煙燒天的閒情
樂蒲扇搖秋的自得

寶島流年
崑崙發脈　海嶽展局
楓林岡的太草原　樹起了
五層廣廈的高等學府

晨夕聞校院鐘聲
午間觀群賢操練
時代維新　眞的
滿眼的文明創建
都是耀世光采的風景

如今　玉山之下
四季風和　遍地花開
人來人往之中
談笑皆鴻儒
後生無白丁
書香社會的新成
寶島這片洞天福地
處處熙熙攘攘
日夜弦歌不輟
編織成祥和寧靜的陶然情景
成爲中華世紀的蓬萊仙境

連歷史亦在驚歎
這大有豐收的四十年

國運迴乾
青天朗照　白日揚輝
阿里山的神木
巍然其上　成爲
護國神柱　護佑
黃帝子孫　承先啓後
宏道繼統　民國萬歲

永懷　蔣公

時光清流　從
周口店地層而下
從涿鹿經曲阜到翠亨村
而流達溪口武嶺　由
聖學　哲人　升揚成
爍古耀今的陽光熱能
驅走了華夏歷史中
百年風雨晦暝的黑夜
照亮了海棠地廓上
千里江河　萬仞五嶽
成爲華夏歷史新篇中
一頁耀眼金黃風采

在風雨滿山的民國歲月中
歷史進入一程幽暗甬道
從許多曲折崎嶇
　泥濘坎坷的里程　是
您　從戰火燃燒危亡中
用哨聲集合一代護國精英
自黃埔怒潮中走出
揚旗東進　鏟除了
南國叛逆的權勢巢窩
揮戈北上　掃蕩了
軍閥割據的綠林歲月
將龜裂神州大地
整合成一葉完美海棠新綠
前進的腳步　終於
踩出種子巢穴
當混濁天空雲煙散盡

正舉步新中國營造
井岡山的窯洞
竄出一群會唱歌的貍鼠
掛著出賣祖國的招牌
秧歌雜起　刀劍狂歌
歷史甬道
傳出暴動下
鬼哭神嚎的悲泣
祥和寧靜的社會
被燒殺成片片殘傷
又是您　以先覺睿智
在南昌　在廬山
爲中國健康
把脈　消毒　治療
然後以　八千里掃蕩
黃埔戰歌　終於
在延安四周雷動

迫使魑魅魍魎群小
戰慄成喪家之犬的醜態
以「共赴國難」乞憐
從你民族大義仁慈寬宥下
逃脫被滅亡命運

烽火連緜不絕地燃燒
軍閥之後有匪亂
九一八之後又有一二八
於是你以聖心
寫就「敵乎友乎」忠告
無奈軍國主義狂人
祇認知炮聲轟隆的得意
聽不懂聖道文雅的琴曲
從三月亡華狂想中
在獅子橋頭再生軍變　於是
獅子　中國　以及

四萬萬炎黃世冑
被捲入腥風血雨之中
您再以「犧牲已到最後關頭」高呼
喚醒國魂　喚起
保衛祖國的民心　以血肉
築起保國抗日長城
站穩腳步　拉開陣線
以消耗對戰速決
以空間換取時間
決河灌城　堅壁清野
以「國家至上　民族至上」忠誠
歷八年長期艱苦奮戰
終於迫使軍國武夫　從
青天白日旗下　低頭敗走
而您　依然大義懍然
宣言「以德報怨」　以
上國仁風　還敵寬大

百年來　帝國主義給予我們
不平之奇恥桎梏由斯解除
東北　臺灣　從您手中
重歸祖國版圖　自此
您高舉中華民國名牌
高登世界莊嚴神聖地位
成爲四强之一

我們正以晨曦清流淨目
瞻望一季新綠早春來臨
卻又被第五縱隊的貍鼠
將新生的芽苗嚼噬
由是中國早春　再被
秧歌邪風吹折成滿地殘紅
叛國的共產匪徒　乘虛
將南京宮牆殿瓦
讓滿城風雨

從百孔千瘡中
氾濫成空前浩劫　於是
一葉海棠國土　竟被
共產國際支部毛匪竊據
將四億善良大陸同胞
淪入紅色鐵幕深淵

時序嬗遞　總有
月圓月缺　花開花謝
寒冬蕭瑟　春暖花開
從三十八年結冰的苦難
到三十九年化雪的日子
我們肅立於台北陽明山前
歡呼民族救星復出　是
「軍人魂」　「革命魂」　「民族正氣」
一序列反共救國召喚
使我們從頹喪中

重建反共必勝信念
從風雨中歸隊上陣
由苦難的盡頭
轉身走向光明大道
我們從此　追隨景從
承您掌舵揚帆
載航我們於時代巨流之上
以筆路藍縷精神
操練志節　磨礪心力
堅歲寒後凋松勁
作中流砥柱堅貞　振起
鳳啼獅吼的華夏雄風
成爲關鍵地位的海上長城

在晨光明麗照耀下
陽光爲能　時風化景
愚公移山的精神如樹

成長在中華兒女心上
我們由斯認知
祖先的昂然立姿
歷史的輝煌面貌
從披荊斬棘創傷中
聞雞練劍　朝習晚讀
讀出我們自由取向
讀出我們步伐歸趨
全民如森林威武
屹立在時代高層之上
凝千萬顆心爲一脈清流
成爲時代中滾滾主流　從此
是黃帝子孫皆成龍族傳人
人人煥發成森林中想飛的樹

昨天　我們晝夜不息
追隨你播種耕耘

耕升了天狼牛斗
播種出大地青蔥
終於耕耘出一程
滿眼新綠大地
萬紫千紅花季

藍天白雲的晴空朗照
陽光哺育出一季歷史盛夏
如今中華民國
從地上拔起的是巍峨大廈
從南方出口的是推陳新品
在眾鳥爭鳴
百花齊放的寶島大地
身受乳蜜哺育福澤
共享廉價民生供需
獲福低利國宅貸款
且以 九年義教窗燈

勤讀五千年皇皇聖典
再以　十大建設
雕刻出社會嶄新面貌
更進　以書香哺育
將文明氣質升揚
譜成節拍悠揚大調
在舉世共鑑下　展示出
一代中華文化新姿
耀眼金黃

在時光熱能　引燃
全盛時代的白日青天下
陽光晒乾了我們的翅膀
我們堅強屹立在關鍵地位上
守著屬於我們自己的天空
守著屬於我們豐饒的大地
盡全民智慧

創新時代層面架構
用智慧科技
作育忠仁忠義新生
全民入線上陣
以後來居上追趕
締造民國一代新成
在核子咆哮時代中
煥發出光華神奇
受舉世讚譽爲奇蹟

從丁亥到乙卯
時光的清流序進
從溪口經黃埔
從南京重慶而臺北
終底於慈湖
世路遙遠崎嶇
歷八十九載寒來暑往

爲民族拯危救難
使華夏完成一統大局
成爲民族救星　早年
傳授我們的革命心法
已成爲經成爲典
經全民熟讀
許多暮鼓晨鐘叮嚀
已成爲薪火
由子孫相傳
我們承恩得澤　身受
皇皇巨星的光華照耀
我們飲福受祚　身受
承先啓後的中道化育
衷心領略
主義是從的民族大義
確切奉行實踐

如今 中華民國
人和政通
百業昌隆 到處有
您播種茁壯的新綠
您霜露滋潤的花果
從社會祥和寧靜
化成民族輝煌光譜
從全民奮發努力
締造出三民主義新世紀
成爲月亮最圓的中國
成爲中華歷史的盛夏
您的仁恩德澤
您的功業遺惠
永遠烙印在國人心上
您的英明鴻裁
您的忠孝道範 將
萬世相傳

131 永懷 蔣公

永垂千古

愛心千萬里

——慶祝蔣總統經國先生就職三週年——

從床頭到床尾
從廚房到餐廳
母親的腳步　日行百遍
連接成千丈萬丈長距
由古老直到今天明天
母親的心血汗珠
化成熱　化成能
哺育出代代精壯

由台北巡視金馬
自大直遍訪台澎
一程又一程的愛心相連
一處又一處的佳話相接
在厚甸甸的幾十冊日記中
記述著無數星期假日
遍訪民瘼的關懷
讓普天下的中國人
評鑑出你主國的忠勤
繪成典型媬姆的圖騰
成爲耀世賢君風範

我曾和人賭過東道
說你和我一樣窮
窮得祇有一套西裝
幾件夾克　別的
全屬國有　雖然

沒有人封稱你是詩人
而你的澹泊卻遠超詩人
每一叢大野華茲
每一朵藍天白雲
就是你迎向國人
滿臉和祥的風采

像大二擔那種邊塞離島
像紅毛港那種荒涼漁村
像沒有地名的峻嶺高山
像九如瑪家那種的窮鄉僻野
像楊振吉那種蹍米小店
在野史記述之中
祇有地保和差人會去
去那裡耀武揚威
假傳聖旨　嚇唬鄉巴佬
去那裡挑唆訴訟

魚肉鄉民　尋求油水
鄉民總是怕得要命　就像
怕染上瘟疫無可救藥一樣
卻從來沒有見過
穿夾克的總統　到處與人
敘寒問暖　握手歡談
在樹蔭下午餐便當
在路邊攤吃蚵仔煎
問農村的收成　軍民生活
問香蕉發芽　雨水灌調
以及蔬菜價錢的漲落
要有　亦祇是乾隆遊江南
戲鳳一類的事
你是國君　卻從來未享用
龍駕出巡的威風
三呼萬歲的榮耀　相反的
在風雨飄搖中

以出戰心胸　接掌中國舵手
從風風雨雨　遍地泥濘中
行千古未有艱鉅
作曠古未有開創
積年累月　以朱筆
繪製應變革新藍圖
雕刻社會嶄新面貌　從
晨報夜會　三聽三問中（註）
導致今日社會富裕安康
田免賦　鹽除稅　屠無捐
化出大有豐年餘裕
全民腹鼓堯歌
樂時代新風
享世紀盛譽　而你卻在
踐行范仲淹豪語
把自己磨成滿頭蒼白
依舊是穿著那件夾克

依舊是一年三節　忘不了
向國人祝福問好
經國先生全民敬愛的　蔣總統
您的愛心　經世人評鑑
又何祇千里萬里
註：三聽三問，係總統每日之晨報夜會
聽敵情　聽物價　聽安全
問民疾　問革新　問成長

十年風木長相思

—紀念趙屏南將軍十年冥誕—

十年前　淚眼朦朧中
在景行廳悲戚叩別
從此駕鶴西遊　留給我
更行更遠的連緜孺慕
春風秋雨　歲歲頻增

記得是風雨黑夜
在明德官邸首次晉謁
從此忝爲僚屬　得承

耳提面命　在軍左右學步
雖出茅新兵　自問
竭盡忠誠　有幸
贏得半生關愛

二年後　建軍遴才
破格出任官校將級佐帥
忝承再度奉召左右
從此委命艱鉅
執鞭管教　在積十四年
教學相長中　歷練出
居世學能　直到
任職海總　聚散頻臨

思及　榮總床前
手術康復期中　示我
人生遭逢　變異難卜

有人一生行惡　延年益壽
有人畢生向善　卻被
一丁點橫肉加害
天理誠難解說　我說
吉人天相
彼此會心一笑

後適我解甲　寄食南方
再受關山遙隔　誰知
床前一別　竟成永訣
哀哀問天無語　如今
陰陽遠隔　忽忽十秋
風木之思　地下有靈
願常幸我午夜夢聚

藍善仁年表

民十二年（一九二三） 四月初五日生於江西省龍南縣黃沙鄉中村赤梓樹下藍屋，父樹芳，母陳氏，兄姊四人，排行老么。

民十五年（一九二六） 祖父光訓公病篤，爲沖喜，父命與同村鍾屋，鍾彩龍長女鍾聲招成婚。

民二十年（一九三十） 自幼體弱多病，至今年屆八歲，始入小學。

民二六年（一九三七） 黃沙小學畢業，家父任校長。因縣中中學初創，且黃沙距城路遠，食宿困難，進入陳文炳先生私熟讀經史，學作詩文，對文學奠基，頗獲得益。

民二八年（一九三九） 入贛南中學。

民二九年（一九四〇） 妻鍾聲招歸門。與善佐兄分家。

民三十年（一九四一） 三月入青年團。七月因病休學，翌年復學。九月丁父憂。

民三二年（一九四三）初中畢業。旋任教黃沙中心小學。兼鄉宣傳隊長，民教班導師。得一女名小蘋。

民三三年（一九四四）考入省立龍南師範高師部。

發表第一篇新詩「春天」刊龍南日報。

得一子名希賢。

民三四年（一九四五）創辦純文藝師風報，自任社長。

民三五年（一九四六）接辦歸美話劇團，演出「桃李春風」，「藍蝴蝶」，並參加校外演出「日出」，「山城的怒吼」。等話劇。

民三六年（一九四七）高師畢業，校長葉新先生。

詩稿結集為「莽原」，石印出版，，成書在動亂中散失無餘。

七月自費旅台，八月出任新竹縣立芎林中學教職。

民三七年（一九四八）辭卸中學教職，入海軍任同中尉軍職。

民三九年（一九五〇）中國國民黨特種黨部遴選任區級改造委員兼書記。

民四十年（一九五一）調任海軍軍官學校任隊職。晉升上尉。

民四二年（一九五三）國防部政幹班一期結業。

國軍政治工作人員甄試優等及格。

民四三年（一九五四）考試院公務人員登記，奉銓敘檢定委任職合格。

民四五年（一九五六）

當選軍紀模範，優良基層幹部。

寫「海洋大合唱」五大樂章，由陳冠軍譜曲。

海軍官兵全軍論文比賽獲軍官級首獎。

受聘海訊日報，力行月刊特約通信員。

民四六年（一九七五）

政工幹部學校初級班畢業

晉升少校。調任海軍軍官學校政治系教官。

主編官校校刊。受聘海軍月刊特約撰述。

承辦單位戶口普查，成績特優，奉內政部敘頒獎狀。

民四七年（一九五八）

服務海軍官校五年以上成績優良奉頒績優獎狀。

民四八年（一九五九）

調任官校政一科，主管政治教育，創立政教日（今莒光日）考取海軍政士。

受聘中國海軍月刊特約撰述。

民四九年（一九六〇）

忠誠勤敏，卓著勳勞，奉　總統頒授忠勤勳章乙座。服務海軍十年以上勳績優異奉總司令頒授海風獎章。

丁母憂，在台服役，無法回鄉奔喪。

民五十年（一九六一）

任政戰工作忠誠勤敏，成績優異奉總政戰部頒授政工之光。累功奉頒海勛獎章。「二十世紀何以是三民主義世紀」論文獲中央論文競賽優勝獎。

民五一年（一九六二）

累功奉頒「海功」，「海光」獎章各乙座。

受聘軍中電台時評特約撰述。

民五二年（一九六三）

政工幹部學校高級班畢業。

擔任海軍官校校史協編，撰海軍先賢評介專文三篇經收入海軍軍史館先賢史料專輯。

累功奉頒「一星海風」，「一星海績」獎章各乙座。

民五三年（一九六四）

主辦三軍政治教育示範績優，奉頒海風二星獎章。晉升中校。

民五四年（一九六五）

調任海軍總司令部政二處文宣首席參謀官。

策訂文宣工作帶動到基層作法，國防部校閱考評特優。

協助辦理國軍第一屆文藝競賽及文藝大會。

加入中國文藝協會。

民五五年（一九六六）

兼任救國團總團部活動組聯絡專員。

協同籌組成立海軍小海光劇校。

創辦海軍文藝週，發展成今日全國性的文藝季。

組織文化訪問團，展開環島宣傳訪問。

積功奉頒：「一星海勛」「一星海績」獎章各壹座。

民五六年（一九六七）奉派參與國防部文宣實驗檢驗觀摩小組，驗收實驗成效。

奉派擔任海軍總司令部年度校閱官。

主辦海軍新文藝成果展覽，評比三軍最優。

主編海軍新文藝叢書第一輯。

協同支援美國福斯公司，在台拍攝聖保羅砲艇影片，順利完成拍攝工作，頗獲佳評。

民五七年（一九六八）海軍參謀大學畢業，畢業論文獲首獎。

代表海軍隨總政戰部副主任王中將，巡視綠島。

民五八年（一九六九）主辦襄陽演習三軍聯合文宣工作。

主辦海軍新文藝祝壽美展。

積功奉頒海功獎章。

民五九年（一九七〇）調任馬祖巡防處政戰主任。

創作雲台詩稿五十三篇，並重新開始寫傳統詩，刊載中國詩文月刊。

隨防區司令官李中將巡視亮島。

民六十年（一九七一）調任海軍總司令部政一處主管全軍政策。

晉升上校。奉頒海軍一星海光獎章。

民六一年（一九七二）「大哉中華」千行史詩榮獲海軍首屆全錨獎。
入中央政治大學教育中心，進修行政管理，企業管理。
應海軍參謀大學之邀，對全校員生，作文宣心戰現況報告。
歌詞「海峽進軍曲」由鄧鎮湘寫曲，選入海軍軍歌歌曲集，並製成唱片，列入軍歌教唱範本。
參與政二處心戰小組撰述。

民六二年（一九七三）調任海軍總司令部政戰部行政室副主任，兼任羅建中辦公室秘書。
忠誠勤敏卓著勛績奉　總統頒授忠勤一星勛章壹座。

民六三年（一九七四）歌詞「自強頌」獲教育部黃自先生紀念歌詞創作獎。
積功奉頒二星海勛獎章乙座。

民六四年（一九七五）歌詞「農家謠」獲教育部紀念黃自先生歌詞創作獎，由楊兆禎教授寫譜，經收入中國藝術名歌選。
「小康之歌」獲台灣省教育廳優良歌曲獎。
任海軍文藝競賽評審。

民六五年（一九七六）積功奉頒二星海績獎章乙座。
出席國軍文藝大會、全國詩人大會。

民六六年（一九七七）調任咨議官。限齡退役。

民六七年（一九七八）進入高雄市私立明誠中學高中部任教職。
歌詞「誰能忽視我們的力量」由林金池作曲，入選中國時報，徵選歌曲，並編入中等學校軍歌教材。

民六八年（一九七九）歌詞「大時代的謳歌」獲國軍十五屆文藝金像獎。
加入中國歌詞作家學會。
加入大海洋詩刊任編委召集人。
參加中央政治大學文藝進修。

民六九年（一九八〇）「如何建設大高雄」論文獲國際同濟會徵文優勝獎。
「梅花千樹舞嬌姿」獲青溪文藝競賽歌詞佳作獎。
加入青溪文藝學會，中國新詩學會，中國傳統詩學會。
出席全國詩人節大會。

民七十年（一九八一）歌詞「中華頌」獲新聞局徵選優良歌曲獎，並收入專輯，製作錄音帶推廣。
長詩「大漢天聲一脈傳」。獲青溪文藝金環獎。

民七一年（一九八二）歌詞：「吾愛吾家」獲農發會徵選優良歌詞獎。

民七二年（一九八三）長詩：「萬壽山前一高雄」獲高雄市徵詩徵文，現代詩首獎，歌詞：「安和樂利花迎人」由賴錦松作曲，入選中廣花蓮台，安和樂利節目主題曲。

參加中央日報作者春節聯誼茶會。

歌詞：「神州復興頌」由賴錦松作曲，獲國軍文藝競賽佳作。

民七三年（一九八四）

參與籌組青溪文藝學命高市分會，並當選首屆監事。

長詩：「永懷　蔣公」。收入新詩學會編印永遠懷念專輯。由新詩學會推荐，經中國名人傳記中心，納編中華民國現代名人錄。

奉高雄市新聞處邀請參加高雄地區作家參觀訪問團。

長詩：「為光明旅途而歌」獲青溪文藝金環獎。並收入「中興之舵」專輯。

民七四年（一九八五）

參加新聞處主辦：「如何推動港都文化」。專題討論，提出十大建言，大部分由高雄市長接納推動。

歌詞：「怒吼吧！中國」。由賴錦松作曲，獲教育部文藝創作獎。

詩作：「嫁海」，「騎浪逐風者歌」「老水手」「起錨」「夜航」「海鷗之歌」「月下望海」七篇，收入大海洋詩刊出版的大海海洋詩選。

應行政院新聞局邀請參加作家經濟建設參觀訪問團訪問工商業界。

出席海軍忠義報作者座談會，討論：「文學的時代使命」。擔任總講評。

民七五年（一九八六）
作品「在那飛揚的日子」獲海軍十五屆文藝金錨獎。
出席文協「文苑雅集」討論詩的語言轉化專題。
第一屆世界自由詩人大會朗誦會，作品「自由中國頌」獲大會華瞻獎。
出席國立海專主辦中華民國第一屆海洋文學詩歌研討會，提出海洋詩品報告。
「向至聖先師膜拜」詩作，選入大港都組曲專輯。
「聖殿之歌」，由賴錦松作曲，入選七屆高雄市文藝季，大港都組曲發表會演唱。

民七六年（一九八七）
當選連任青溪文藝學會高雄市分會監事。
出席第七屆中韓作家會議。
出席文協藝文雅集，討論岳宗「寸草集」。
出席國立海專主辦中華民國第二屆海洋文學詩歌研討會，詩作「海洋頌」在大會朗誦。
奉邀參加中國造船公司：「船舸的饗宴」。文藝之旅。

民七七年（一九八八）
詩作：「走圓一生殘夢」經台灣時報刊出後，經北京發行全國「參考消息報」及「龍南文藝」轉載，並刊入「龍南文獻」。
隨中學教師旅遊訪問團，遊訪香港泰國。作「港泰旅遊九記」，誌盛。
「海，謎一樣的名字」，「子午線上的迷惘」，「詩人」三篇詩作，經收入由藍海文主編「當代台灣時萃」。
歌詞「大陣九歌」經忠義報連載。
詩作「燈火」，「山之春」，「天涼好箇秋」。三篇收入秋水詩選。

民七八年（一九八九）

出席中華文化復興運動推行委員會，「九九文會」。
「聖殿之歌」再次列入大港都組曲創作發表會演唱。
返鄉探親。寫歸鄉抒懷十四帖分別在兩岸報刊刊出「前進龍南」一帖，經贛南日報刊出後，江西省年度作品評鑑，評爲年度好詩。
受聘擔任海軍出版社徵文競賽評審。
當選青溪文藝學會高雄市分會理事。

民七九年（一九九〇）

出席文藝界重陽敬老聯誼活動。
推動青溪文藝著有成績奉頒獎狀。
「奔向彩色時代」獲青溪文藝金環獎。

民八十年（一九九一）

重寫「長城謠」新詞，獲麥香公司，優勝獎。
參加中國石油公司，高雄煉油總廠主辦，全國文藝作家出塵之旅。
於私立明誠工業家事高級職業學校，第二次任職退休。
參加新聞局主辦，慶祝建國八十年文藝作家春季農村之旅。
參加聯合報四十周年社慶，澄清湖六公里路跑，獲高齡組第八名。
六月參加軍管區八十年度優良輔導幹部訪問金門。
六月三十日參加中國作家藝術家聯盟成立大會。
七月二日參加一九九一年世界詩人文化大會。

後記

藏拙了好多年的九篇長詩，終於在許多舊雨新知的催促下獻醜出版了。這九篇詩，亦都是在新文藝運動的競賽下催生的作品，多數受到了評審先生們的肯定，亦獲得了獎賞。

韓愈主張「文以載道」。幾千年來，曾經出現許多爭論，或謂當「爲文藝而文藝」。爲文不必爲文藝之外的社會擔負任務。在共產國家裡，則明確要求，文藝應該爲政治服務。我覺得都有偏向。在近代世界文藝思潮中，許多人都認爲文藝應該有其超然的使命，亦就是當教育大眾，糾正時弊，領導時代，開創時代。一部中國文化史，從漢賦，唐詩，宋詞，元曲，到明清小說，以及民國新文藝的創導，創新開展，均留下堪以自豪的泱泱大風。

我國古人曾說：「爲文不關世道，雖工何益」。黃黎洲亦說：「天下學問，以用得著者爲眞」。托爾斯泰更曾說：「所有創作，只要有與人類關連的事實，那才是美的」。可見甚麼文類作品，當以傳眞有用爲美，筆者一生用筆，筆觸從未遠離此一取向，這輯詩的出版，不敢說詩寫得好，但有自信，敘事卻無假言，雖不能傳世，自信卻做到了傳眞，因此獻醜出版之餘，亦就心安了。

這輯詩創作的時間，正是世界大局變亂不已的年代，天幕暗淡，大野風急，社會層面上，許多短視現實的人群，競相追逐功利，風潮迭起，形成許多暗流陰影，致使存在主義，嬉皮時尚滋生，令人懷憂喪志，尤其我們的國家，民國以來，變亂紛乘，橫逆交加，每個國人在心靈上頻遭衝擊，失敗主義的心思，隨處可見，一時形成許多危機。而筆者時時多面對源遠流長的中華文化，從史實的證驗中沉思，在心靈上，始終覺察陽光澈照，相信我們的國家，不僅有無限光明的前途，且確切深信二十一世紀，必然是中國人的世紀，本此；故本書結集時，乃以「心靈上的陽光」名書。

最後本書結集，由姻侄廖振純爲我抄稿，侄媳何麗雪提供封面照片，文史哲出版社社長彭正雄先生助我出版成書，一併致最誠謝意。

藍善仁作品一覽表

一、已出版作品

1. 莽原（文華印務局）
2. 大哉中華（海軍總司令部）
3. 心靈上的陽光（文史哲出版社）
4. 青溪涓涓流過（文史哲出版社）

二、已完成集稿計劃出版作品

1. 太陽照不到的地方
2. 響自我心弦上的歌
3. 交流道上
4. 老婦人的佛心

三、作品選入之選集

1. 海軍新文藝作品選集（海軍文輔會）

2.中興之舵（中興出版社）
3.中國海洋詩選（大海洋詩刊社）
4.當代臺灣詩萃（湖南文藝出版社）
5.秋水詩選（秋水詩刊社）
6.永遠的懷念（中華民國新詩學會）
7.大港都組曲（高雄市教育局）
8.江西文獻（江西同鄉會）
9.龍南文獻（龍南同鄉會）
10.中國詩文（中國詩文之友雜誌社）
11.愛國歌曲暨藝術歌曲集（教育部）
12.中等學校軍歌教材（教育部、教育廳）
13.中國藝術名歌選（文化圖書公司）
14.海軍軍歌教材（海軍總司令部）
15.優良歌曲專輯（行政院新聞局）